Les dieux
de la Grèce

Remi Simon

Les dieux
de la Grèce

Illustrations de Catherine Gran

Nathan ◆ Monde en Poche
Collection dirigée par Daniel Sassier

Au pays des dieux

Les Anciens Grecs formaient un peuple plein d'imagination et curieux de tout. Mais ils vivaient il y a très longtemps et ne possédaient pas toutes les connaissances qui sont devenues pour nous évidentes.

Nous savons, par exemple, que la Terre est ronde et qu'elle tourne autour du Soleil. Les Grecs, eux, croyaient que la Terre était plate et que le Soleil, ainsi d'ailleurs que les planètes, tournait autour d'elle.

Comme ils avaient du mal à comprendre « scientifiquement » une tempête ou un tremblement de terre, ils inventaient tout simplement une explication. Si la mer est agitée, il faut bien que quelqu'un l'agite, quelqu'un

de très puissant, qui peut aussi secouer la terre : ainsi naît l'idée du dieu Poséidon, « l'ébranleur du sol », qui provoque les tempêtes avec sa fourche à trois dents. Un autre dieu maniait la foudre, un autre dirigeait la course du Soleil, et ainsi de suite.

Finalement, au bout d'un certain temps, tous les phénomènes naturels se trouvèrent expliqués de façon très poétique. Une multitude de dieux en étaient responsables.

◆ Trente mille dieux !

Chacun embellissant l'histoire, les dieux ne se contentèrent pas d'être de plus en plus nombreux. D'un récit à l'autre, leurs aventures, leurs parentés et même leurs rôles ne concordaient plus.

Dès l'Antiquité, des écrivains essayèrent d'y mettre un peu d'ordre. Travail colossal ! Pensez que dans les seuls textes antiques qui nous sont parvenus – et beaucoup ont été perdus ! –, on a pu compter plus de trente mille dieux ! Il est impossible de les connaître tous, bien entendu ; une vie entière n'y suffirait pas.

Pourtant, parmi ces milliers de légendes et de mythes, on découvre quand même des grandes tendances, des thèmes généraux, sur lesquels les Grecs étaient à peu près d'accord.

Ce sont ces grandes lignes que nous avons brièvement réunies dans ce livre. Cela dit, il existe toujours d'autres interprétations de ces légendes !

Et puis, vous vous demandez peut-être en quoi la mythologie grecque nous concerne encore.

D'abord, vous allez le voir, parce qu'elle est passionnante, pleine de personnages extraordinaires, de situations tragiques ou drôles... Ensuite, parce que nous sommes les petits-enfants lointains

Sisyphe roulant son rocher (dessin sur un vase grec du 4ᵉ siècle av. J.-C.).

des Grecs, et des Romains qui les suivirent. Sans parler de la peinture, de la sculpture ou des autres arts, la seule langue française fourmille d'expressions qui font allusion à la mythologie : « C'est le rocher de Sisyphe », dit-on couramment, « C'est le tonneau des Danaïdes », « Il se croit sorti de la cuisse de Jupiter ! ». Ou bien encore : « C'est titanesque ! ».

Qui étaient les Titans ? Vous allez le savoir.

Le matin du monde

Aux premiers temps du monde, régnait le Chaos. Un terrible magma d'eau et de terre mélangées roulait sans forme, au hasard, dans les explosions de feu et les tornades errantes de vents furieux.

La Nuit se dégagea la première de ce Chaos originel ; la Nuit et son fils le Destin.

Ces premiers dieux furent les aînés des autres dieux. Cela leur valut d'être toujours respectés, même par les plus puissantes divinités qui régnèrent par la suite. Et tous subirent sans murmurer les décisions souvent bizarres du Destin.

◆ La Terre et le Ciel

Puis Gaia, la Terre Mère, se dégagea à son tour du Chaos. Elle fut la mère universelle, la mère de tout ce qui existe dans le monde : bêtes, hommes et dieux.

Elle commença par créer Ouranos, le Ciel, et le fit aussi grand qu'elle-même, afin qu'il la recouvrît exactement. Et à eux deux, Gaia et Ouranos eurent beaucoup d'enfants. Les premiers-nés furent des personnages gigantesques, que l'on nommait les Titans. Ils étaient douze, six garçons et six filles.

Ouranos, loin d'être un père affectueux et attentionné, craignait que ses enfants prennent sa place. Pour écarter ce risque, il les enferma tout simplement dans les ténèbres, au fond d'un précipice.

◆ La révolte des Titans

Au bout d'un certain temps – on les comprend ! –, les Titans se révoltèrent. Le plus jeune d'entre eux, Cronos, dont le nom signifie le Temps, prit le commandement des opérations.

Cronos parvint à s'évader des ténèbres avec ses frères et ses sœurs. Puis, sans hésitation, les Titans massacrèrent leur père Ouranos. À vrai dire, ce fut Cronos qui se chargea de l'affaire.

Mais voilà que le sang d'Ouranos, en tombant sur la Terre, fit naître de nouveaux enfants. Et Gaia donna ainsi le jour non plus à des Titans, mais à des Géants et à des êtres terribles. Certains, les Cyclopes, n'avaient qu'un seul œil au milieu du front. D'autres, les Hécatonchires ou Cent-Mains, possédaient de nombreux bras et une force irrésistible. Un monstre épouvantable, Typhon, vit également le jour, ainsi que d'autres créatures qui grandissaient de deux mètres par an et grossissaient dans la même proportion. Bref, c'étaient de singuliers enfants !

Là-dessus, Ouranos étant mort, Cronos prit le pouvoir. Il s'empressa d'enfermer ses horribles petits frères dans un abîme appelé Tartare, et s'installa sur le trône.

Ce ne fut pas sans quelques difficultés, d'ailleurs,

car son frère aîné Titan revendiquait également la royauté.

Il ne finit par céder qu'à une seule condition : Cronos n'aurait pas d'héritier ! À sa mort, le trône divin reviendrait donc à ses enfants à lui, Titan.

Malheureusement, Cronos, qui avait épousé Rhéa, la Bonne Déesse, eut pas mal d'enfants ! Et comme il lui fallait bien tenir sa promesse, il prit l'habitude étrange de les avaler d'un coup dès qu'ils naissaient.

◆ **La naissance de Zeus**

Rhéa était fort mécontente, ce qui se conçoit. Aussi, lorsqu'elle eut des jumeaux, elle donna la petite fille à son terrible mari et remplaça le garçon par une grosse pierre enveloppée de langes.

Cronos, assez naïf, ne s'aperçut de rien : il avala sans sourciller la pierre et les langes, croyant qu'il s'agissait de son fils.

Quant à Rhéa, elle cacha le bébé et le confia aux Curètes, qui habitaient alors l'île de Crète. Là, le petit Zeus fut pris en charge par une nourrice imprévue, la chèvre Amalthée. Et c'est la corne cassée de

cette brave chèvre,
débordante de fruits
et de produits de la nature,
que nous connaissons sous le nom de
« Corne d'Abondance », le symbole de la prospérité.

Tout danger n'était pourtant pas écarté. Les cris du bébé risquaient d'attirer l'attention de Cronos, lequel aurait découvert la ruse. Les Curètes couvraient donc ses pleurs en dansant sauvagement autour de lui, poussant de grands cris et frappant leur

bouclier de leur épée. Et comme deux précautions valent mieux qu'une, le berceau fut suspendu à un arbre : n'étant réellement ni sur terre ni dans le ciel ni, encore moins, dans l'eau, il était très difficile à trouver.

◆ La vengeance de Zeus

Le temps passa. Zeus devint grand et fort, tel qu'un dieu devait l'être. Bientôt, il songea à son tour à se débarrasser de Cronos, père cruel et sans scrupules.

Il alla demander conseil à sa tante Métis, l'Intelligence. Déguisé en page, il obtint la charge de verser à boire à Cronos. Celui-ci ne l'ayant jamais vu, ce ne fut pas très compliqué. Mais au lieu de servir du vin dans la coupe de son père, Zeus lui versa une généreuse rasade de… vomitif !

Le Titan fut terriblement malade. Il commença par vomir la pierre enveloppée de langes, puis tous les enfants qu'il avait jadis avalés d'un coup, sans les mâcher ! Et les dieux, fils de Cronos, ainsi délivrés, entreprirent à leur tour la conquête du pouvoir.

Cela n'alla pas tout seul, loin de là ! Assailli par ses enfants, Cronos appela à l'aide les autres Titans, ses frères. Rhéa décida de rester neutre, ne sachant si elle devait prendre parti pour ses enfants plutôt que pour ses frères et son mari. Ce fut elle, cependant, qui

conseilla à Zeus de rechercher l'alliance de ses oncles monstrueux, les Cyclopes et les Géants.

Zeus trouva l'idée excellente. Après un farouche combat contre leur gardien, il délivra les monstres.

Les Cyclopes, vous le savez, étaient bons forgerons. Pour remercier leur libérateur, ils firent cadeau à Zeus d'une arme terrible : la foudre. À Poséidon,

ils offrirent un gigantesque trident. Quant à ...
il reçut un casque de bronze qui le rendait invisible.
Les trois frères possédaient maintenant un armement
redoutable qui leur assurait, sinon la supériorité, du
moins un sérieux avantage sur les Titans.

Grâce à son casque, Hadès se rendit
invisible. Il put ainsi s'approcher
de Cronos pendant que celui-ci dormait...
et il lui déroba ses armes.
Cronos ne pouvait plus résister.
Et tandis que Poséidon tenait
en respect les autres ennemis
avec son trident, Zeus
frappa Cronos de sa
foudre et le blessa
grièvement.

Les nouveaux
dieux étaient
vainqueurs.

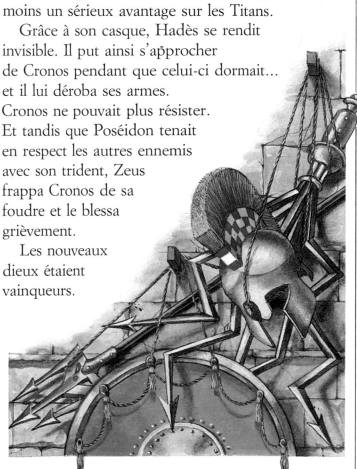

Titans

...minée, les Titans vaincus furent précipi-
...our dans le Tartare.

Pas tous, cependant, car Cronos parvint à s'enfuir
en Italie. Là, sans doute assagi, il organisa
un merveilleux royaume que l'on appelle
l'Âge d'Or. Nous y reviendrons.

Les dieux épargnèrent
également leur mère Rhéa,
ainsi que Prométhée
et Épiméthée,
les fils du Titan
Japet.

Puis Zeus, Hadès et Poséidon se partagèrent le monde. Poséidon prit la mer et les eaux, reléguant le vieux Titan Océan au-delà des limites du monde alors connu. Hadès choisit le monde souterrain et le royaume des morts. Quant à Zeus, il se réserva le ciel et la surface de la terre, en même temps que le pouvoir absolu.

L'Olympe s'organise

Zeus commença par bâtir la demeure des dieux. Il choisit de l'installer sur une montagne de la Grèce, que l'on croyait la plus haute du monde : l'Olympe.

C'est là que les dieux le rejoignirent. Et voilà pourquoi on les appelle les Olympiens.

Ils étaient douze, maintenant, comme jadis les Titans, car ils avaient eu des enfants. Vous connaissez déjà Zeus et Poséidon. Mais il y avait aussi Arès, le dieu des combats, Héphaïstos, le dieu forgeron, Apollon, qui régnait sur les arts, la lumière et la santé, Héra, déesse des femmes et du travail de la maison, Hestia, gardienne du foyer, Déméter,

protectrice
des moissons
et des récoltes,
Artémis, déesse
des jeunes filles et de la chasse, Aphrodite, déesse de
la beauté et de l'amour, Athéna, qui régnait sur la
sagesse et les armes. Et Hadès ? Eh bien, il préféra
toujours son royaume souterrain, et on ne le vit
jamais beaucoup sur l'Olympe.

Il y eut par la suite
d'autres divinités, tels Hermès,
dieu du commerce et des voleurs, Dionysos, protec-
teur de la vigne et du vin, ou Pan, le dieu berger...

Les dieux s'établirent donc ensemble sur
l'Olympe, et s'apprêtèrent à profiter tranquillement
d'un repos bien gagné après dix ans de guerre
acharnée. Hélas, de nouveaux orages s'annonçaient.

Ce n'était pas sans mécontentement, en effet, que
Gaia avait vu ses petits-fils chasser ses enfants et
détrôner Cronos. Elle fit donc remarquer à ses autres
enfants, les Géants et les Cent-Mains, qu'ils auraient
tout à fait pu régner sur le monde. Les Géants, qui
avaient reçu simplement la mission de garder les
Titans, trouvèrent cette réflexion très juste. Sans
hésiter davantage, ils se révoltèrent. La guerre éclata
de nouveau.

◆ La guerre contre les Géants ou « gigantomachie »

Les Géants firent appel à leurs frères les Cyclopes, ainsi qu'aux terribles jumeaux Otos et Éphialtès, ceux qui grandissaient de deux mètres par an. Ils demandèrent aussi de l'aide aux Cent-Mains à la force immense. Et à eux tous, ils partirent à l'assaut de l'Olympe.

Détail d'un combat (bas-relief de la fin du 6ᵉ siècle avant J.-C.).

Rapidement débordés par l'attaque des Géants, les dieux durent se réfugier dans le ciel. Alors Otos et Éphialtès se mirent à entasser les montagnes : sur l'Olympe, ils posèrent l'Ossa et le Pélion sur l'Ossa. Ils se rapprochèrent ainsi du ciel et purent alors assiéger les dieux.

Les Cent-Mains lançaient d'énormes pierres dans

les nuages pour assommer les dieux, lesquels ripostaient de bon cœur. La foudre de Zeus, le trident de Poséidon, les flèches d'Apollon, la lance d'Athéna, l'épée d'Arès faisaient merveille... sans pour autant forcer la victoire. Les Géants possédaient, en effet, une herbe magique dont la seule existence les rendait absolument invulnérables ! Aussi continuaient-ils à bombarder les dieux avec leurs énormes rochers qui, en retombant, créaient des îles dans la mer et de nouvelles montagnes sur la terre.

Et les géants marquaient des points.
Ils parvinrent même à capturer Arès.
Ils l'enfermèrent dans un tonneau en bronze
où le malheureux gémit pendant un an.
Il fut finalement délivré par Hermès,
qui l'avait pris pour un rat en train
de ronger du grain dans le tonneau.

Les combats auraient pu
durer ainsi pendant longtemps
si Zeus n'avait eu l'idée
de reprendre le problème
à la base. « Pourquoi
lutter, pensa-t-il, contre
des ennemis que nous ne
pouvons même pas blesser ?
Il faut absolument les priver
de ce qui les rend invulnérables ! »

Grâce aux conseils de la Lune, du Soleil et de l'Aurore, Zeus découvrit où se trouvait l'herbe magique, et l'arracha. Les Géants furent alors aisément vaincus, leurs alliés aussi, foudroyés par Zeus ou abattus par les flèches impitoyables d'Apollon.

Mais Gaia, furieuse, tenta un dernier effort. Elle appela à l'aide son fils Typhon.

◆ **Le monstre Typhon**

Typhon était une créature réellement épouvantable. Il mesurait cent mètres de haut, marchait avec un bruit de tonnerre et portait sur les épaules de nombreuses têtes de serpents qui sifflaient et se tordaient dans tous les sens.

Quand l'horrible Typhon se lança dans la bataille, les dieux furent pris de panique. Ils se sauvèrent tous et allèrent jusqu'en Égypte, où ils se cachèrent.

Seul Zeus resta pour affronter le monstre. La bataille fut longtemps indécise. Mais Typhon était tellement fort que même la foudre de Zeus n'avait aucun effet sur lui. Finalement, Typhon s'empara de Zeus et l'enchaîna étroitement. Après quoi, il lui coupa les tendons des pieds et des mains. Puis il l'abandonna, impuissant et paralysé par ses horribles blessures.

Hermès et Pan, plus courageux que les autres, ou plus curieux, revinrent d'Égypte et découvrirent le pauvre Zeus. Pan le soigna et le nourrit. Hermès recousit habilement ses tendons. Si bien que le roi des dieux fut en état de reprendre la guerre.

Cette fois, Typhon fut vaincu. Et avec lui, s'écroulèrent les derniers espoirs de Gaia. Désormais, elle se tint tranquille et accepta le règne de son petit-fils.

Et Typhon ? Zeus le poursuivit jusqu'en Sicile et l'écrasa sous un énorme volcan, l'Etna. Il y est toujours, dit-on. Lorsqu'il se retourne ou tente de se libérer, le volcan gronde et la terre tremble.

Quant aux Cyclopes, Héphaïstos les prit à son service et ils travaillèrent sous sa direction. Ce sont la fumée de leurs feux et la lueur de leurs forges qui s'échappent des volcans de la Méditerranée lorsqu'ils se réveillent.

Les dieux pouvaient maintenant régner tranquillement sur l'Olympe. Enfin, presque ! Car ils n'allaient pas tarder à se disputer entre eux, et vous découvrirez bientôt leurs autres aventures.

Mais pendant ce temps et parmi toutes ces aventures, qu'en était-il des hommes ?

Voilà les hommes !

Il faut reconnaître que l'apparition des hommes n'est pas très claire dans la mythologie.

Certains, généralement de grands héros, sont appelés des « autochtones », c'est-à-dire nés du sol même sur lequel ils vivent. Il s'agit encore des enfants de la vieille Gaia, en quelque sorte. On les nomme également « aborigènes », « ceux-qui-sont-là-depuis-l'origine ».

Mais la plupart des mortels furent créés par les deux Titans Prométhée et Épiméthée, les fils de Japet, sur l'ordre de Zeus.

Pourquoi ? Pour que les dieux aient quelque chose à manger, tout simplement !

Rassurez-vous, les dieux ne dévoraient pas les hommes. Mais ceux-ci adoraient les dieux et leur faisaient des sacrifices. Or la fumée de ces sacrifices, de ces offrandes que l'on brûlait sur les autels, servait de nourriture aux dieux, avec le nectar et l'ambroisie.

La fumée des sacrifices permettait donc aux dieux de ne pas avoir faim. Voilà pourquoi Zeus chargea les deux Titans de fabriquer en même temps des hommes capables de faire des sacrifices... et des animaux pouvant être sacrifiés.

LE NECTAR ET L'AMBROISIE

Le nectar était une merveilleuse boisson qui réjouissait le cœur des dieux, mais qui ne les nourrissait guère ; il les désaltérait tout au plus.

Quant à l'ambroisie, c'était... À vrai dire, nous ne savons pas très bien ce que c'était. Toujours est-il que l'ambroisie conservait aux dieux leur immortalité. Comme les dieux sont forcément immortels, avec ou sans ambroisie, vous voyez que la question demeure assez obscure !

◆ La créature de Prométhée

Prométhée et Épiméthée se mirent aussitôt au travail. Ils façonnèrent toutes les créatures avec de la boue et de l'eau – encore des êtres issus de la Terre ! – et les modelèrent à leur fantaisie. Épiméthée, Titan sympa-

thique mais un peu tête en l'air (son nom signifie « celui-qui-réfléchit-après-coup »), s'amusa beaucoup. Il fabriqua à toute vitesse une quantité invraisemblable d'animaux aux formes plus bizarres les unes que les autres : des éléphants, des lions et des tortues, des hippocampes et des chauves-souris... Bref, tout ce qui lui passait par la tête.

Pendant ce temps, au contraire, Prométhée réfléchissait. Puis il modela un animal remarquable. Il se tenait sur ses pieds de derrière, si bien que sa tête pouvait regarder le ciel, et il avait des mains pour saisir les outils et façonner les objets. Vous avez reconnu l'homme.

Prométhée voulut ensuite donner à sa créature les moyens de se défendre et de se protéger contre ses ennemis. Il s'aperçut alors que son frère avait déjà tout distribué. Il ne restait rien pour l'homme, ni écailles, ni sabots, ni cornes, ni ailes, rien du tout. Il n'y avait plus qu'un petit bout de fourrure que Prométhée lui mit sur la tête.

Le Titan était consterné : sa créature ne pourrait jamais résister à des animaux pourvus de tant d'avantages et de défenses naturelles. Il mourrait forcément de froid et de faim.

◆ Le voleur de feu

Mais à force de réfléchir, Prométhée eut une idée lumineuse : le feu ! Si sa créature possédait le feu, elle saurait bien résister à n'importe quoi ! Sans plus tarder, il se rendit dans le ciel et alluma un petit charbon au Soleil. Il le cacha dans la tige creuse d'un grand fenouil et le rapporta aux hommes.

Les hommes étaient enchantés, Prométhée également. En revanche, Zeus et les autres dieux appréciaient beaucoup moins cette initiative. Avec le feu, en effet, les hommes ne tardèrent pas à se montrer presque les égaux des dieux.

De surcroît, Prométhée, qui aimait beaucoup ses petits bonshommes, s'arrangea pour les avantager. Comment partager la nourriture des sacrifices entre les dieux et les hommes ? « C'est bien simple, dit le rusé Titan d'un air naïf, il faut réserver aux dieux le meilleur, c'est-à-dire toute la bonne graisse et les bons os pleins de moelle ! »

Les dieux acceptèrent cette proposition sans se rendre compte que les hommes avaient en réalité la meilleure part : la viande pour se nourrir, la peau pour s'habiller et les tendons pour fabriquer des cordes d'arc et chasser de loin les animaux !

Zeus s'aperçut trop tard de ce marché de dupes ; le partage était fait. Furieux, trouvant que Prométhée avait dépassé les bornes, il le châtia durement. Il le fit enchaîner au sommet d'une montagne du Caucase

et envoya un rapace lui ronger le foie. Et comme le foie du Titan repoussait au fur et à mesure, le châtiment devait durer éternellement. Ainsi fut puni Prométhée, pour avoir pris le parti des hommes.

Et non contents de cette vengeance, les dieux imaginèrent contre ceux-ci une contre-attaque assez perfide, vous allez le voir.

◆ La « boîte » de Pandore

Sur la terre, s'épanouissait l'Âge d'Or. Rassemblés sous la direction du vieux Cronos, les hommes vivaient une époque de délices, ne connaissant ni la faim ni la soif, ni les maladies, ni aucun malheur

d'aucune sorte. Il faut vous dire que les deux Titans avaient commencé par enfermer dans une grande jarre tous les malheurs et qu'ils avaient caché cette jarre dans la maison d'Épiméthée.

Les dieux mécontents se mirent donc au travail et fabriquèrent une merveilleuse statue animée. Ils lui donnèrent toutes les qualités. Ils appelèrent leur création une « femme » et la comblèrent de biens.

Quand la femme fut aussi séduisante que possible, les dieux la baptisèrent Pandore, ce qui signifie « tous-les-cadeaux », et l'expédièrent sur la Terre.

C'était la première fois qu'on y voyait une femme, et les hommes furent enthousiasmés par ce cadeau des dieux. Le plus ravi de tous fut Épiméthée. Il prit Pandore pour lui tout seul et l'installa dans sa maison, où elle vécut désormais.

Pandore savait tout faire et s'occupait de tout. Elle allait et venait librement. Seule la pièce où Épiméthée gardait soigneusement la fameuse jarre lui était interdite.

Malheureusement, si Pandore
possédait d'innombrables qualités, elle avait
également reçu un léger défaut : la curiosité.
Le plan des dieux reposait entièrement là-dessus.

Bientôt, Pandore ne put plus y tenir. « Il faut
absolument que je sache ce que cache cette jarre ! »,
se dit-elle.

Et tout doucement, une nuit, alors qu'Épiméthée
dormait profondément, elle se leva, prit une lampe et
pénétra dans la chambre défendue.
Avec précaution, Pandore
souleva le lourd couvercle
de la jarre. À peine
l'avait-elle entrouvert
qu'elle recula,
épouvantée.

Dans un sifflement de tempête, le contenu de la jarre s'envolait et s'enfuyait par la fenêtre. Pauvre Pandore ! Elle avait bien raison d'être effrayée. Ce qui s'échappait, c'étaient toutes les maladies, tous les accidents, tous les vices, la méchanceté, la colère, la douleur, l'envie, le meurtre, la malice... Bref, c'était épouvantable !

Terrifiée, Pandore referma vivement le couvercle de la jarre, mais il était trop tard. Il n'y restait plus qu'une seule chose : l'espérance.

Depuis ce jour, les hommes sont accablés de maux. Mais ils gardent toujours l'espérance, car ils ne savent pas ce qui les attend.

◆ Le temps du déluge

À la suite de cette fatale imprudence, vous vous doutez bien que l'Âge d'Or ne dura guère. Les hommes se mirent à se battre, à être malades, à vieillir et à mourir. Cependant, tout cela semblait encore très acceptable et l'on appela cette époque l'Âge d'Argent.

Mais les drames se multiplièrent... et ce fut l'Âge d'Airain. Les hommes étaient devenus si méchants qu'ils refusaient maintenant de faire des sacrifices. La ruse des dieux se retournait contre eux !
C'était inacceptable.

Zeus décida donc d'en finir,
d'exterminer cette mauvaise race,
et de tout recommencer.
Il envoya des pluies
et des orages terribles.
Après neuf jours
et neuf nuits
de cet incessant
déluge, les rivières
en crue envahirent
la terre, tandis
que la mer
montait et
recouvrait
tout.

◆ Deucalion et Pyrrha

Il ne resta rien. Tous les hommes furent noyés, excepté un couple qui n'avait jamais fait de mal à personne et que Zeus fit prévenir. L'homme, fils de Prométhée, s'appelait Deucalion, et la femme, fille d'Épiméthée et de Pandore, Pyrrha.

Deucalion fit monter sa femme dans une sorte de grande cuve en bois et ils flottèrent sur les eaux déchaînées. Puis les eaux se retirèrent enfin, le soleil brilla de nouveau et l'inondation cessa. Les deux survivants se retrouvèrent seuls sur la Terre désolée.

Il n'y avait plus rien, il fallait tout recommencer. Que faire ? Deucalion interrogea l'oracle. Celui-ci prononça cette phrase singulière : « Jetez derrière vous les os de votre grand-mère ! »

— Les os de notre grand-mère ? dit à sa femme Deucalion. Je ne comprends pas !

— Tu n'y es pas ! répliqua Pyrrha. Gaia, notre

grand-mère, est aussi la Terre sur laquelle nous marchons. Et ses os, ce sont les pierres et les cailloux, naturellement !

— Tu as peut-être raison, dit Deucalion. Quoi qu'il en soit, rien ne coûte d'essayer. Il n'y a pas de sacrilège à jeter derrière soi des pierres et des cailloux !

Deucalion se baissa, ramassa une pierre et la jeta derrière son épaule. Et là où elle tomba, surgit à sa place un grand et bel homme dans la force de l'âge !

– J'avais raison ! s'écria Pyrrha, à mon tour !

Elle imita son mari. Et là où la pierre tomba, jaillit une jeune femme merveilleuse !

Et ainsi, jetant à tour de rôle une pierre derrière eux, Deucalion et Pyrrha repeuplèrent la Terre.

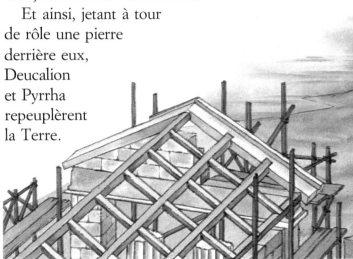

◆ L'Âge de Fer

Mais comme tout était à refaire, les débuts des nouveaux hommes furent très pénibles. Il fallait maintenant faire pousser les moissons au lieu de se contenter de les récolter. Il fallait élever les animaux domestiques au lieu de les attraper dans la campagne. Il fallait construire des maisons. Bref, tout cela était

très fatigant. Si fatigant que l'on appela cette époque – celle où nous vivons toujours – l'Âge de Fer.

En revanche, les hommes ne voulurent pas déplaire à nouveau aux dieux. Ils leur firent des sacrifices régulièrement.

Les dieux furent très satisfaits et, n'ayant plus faim, recommencèrent à se disputer.

L'Olympe s'agite

Les jalousies d'Héra

Malgré les péripéties que nous venons de raconter, et le triomphe des dieux, tout n'allait pas très bien dans l'Olympe.

Par exemple, Zeus avait la fâcheuse habitude de tomber amoureux de toutes les femmes, ou presque, qu'il voyait, mortelles ou déesses. Ce qui, évidem-

ment, mettait son épouse Héra en fureur. Et pour cause ! N'était-elle pas la déesse du bonheur conjugal et du foyer domestique ?

On ne peut lui donner tort, d'autant plus qu'elle était jeune et jolie, bien que d'une beauté un peu sévère.

Héra ne pouvait supporter les infidélités de Zeus. Elle poursuivait de sa haine ses rivales et surtout leurs enfants, allant parfois jusqu'à les faire mourir après les avoir accablés de malheurs.

Un beau jour, Héra décida de donner une leçon à son mari. Elle voulut lui montrer qu'elle pouvait, elle aussi, avoir des enfants de son côté, et sans le concours de personne ! Quelque temps plus tard, la déesse était enceinte de sa propre volonté !

Hélas, l'enfant que la jalouse Héra mit au monde était affreux. Il avait les jambes tordues et se tenait tout voûté. Sa chevelure hirsute surmontait un visage convulsé de tics. Ainsi se présentait le pauvre Héphaïstos.

◆ Héphaïstos, le dieu forgeron

Furieuse, Héra pleura beaucoup. Elle voua à l'instant même à son malheureux enfant une haine solide, car elle se sentait terriblement humiliée. Quant à Zeus, dégoûté, il prit l'enfant par un pied, le fit tournoyer deux ou trois fois…

et le jeta tout simplement hors de l'Olympe.

Héphaïstos fit un immense vol plané à travers le ciel et s'écrasa quelque part en Sicile. Ses os mirent beaucoup de temps à se ressouder et il se retrouva plus boiteux que jamais.

Mais si la beauté lui faisait cruellement défaut, il était doué d'une grande habileté manuelle. Il devint rapidement un forgeron renommé.

Pour se réconcillier – du moins le disait-il – avec sa mère, il fabriqua un merveilleux siège en or massif et le lui fit apporter. Héra s'assit aussitôt sur ce splendide fauteuil. Lorsqu'elle voulut se lever, elle s'aperçut que le siège était magique : elle ne pouvait plus en bouger !

Zeus fut ravi de ce bon tour joué à son insupportable épouse. Il envoya chercher malgré tout Héphaïstos en personne, pour délivrer Héra, fort mécontente. Le dieu boiteux resta désormais dans l'Olympe, lorsqu'il ne travaillait pas dans ses forges de Sicile avec les Cyclopes.

◆ La révolte des dieux

Cependant Héra, ne supportant pas ce premier échec, méditait d'autres plans. Finalement, elle décida qu'il fallait détrôner Zeus et donner la couronne à quelqu'un de plus sérieux. Poséidon, tou-

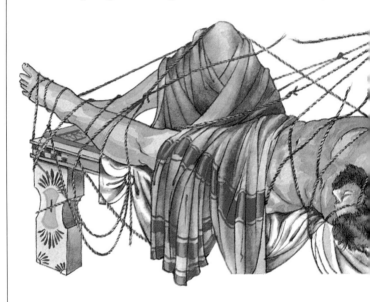

jours un peu jaloux du pouvoir de son frère cadet, se laissa facilement convaincre. Et Apollon aussi, on ne sait trop comment.

Toujours est-il qu'un soir, alors que Zeus dormait profondément, les trois conjurés lui sautèrent dessus et le ligotèrent.

La colère de Zeus fut épouvantable. Il se tordait

en tous sens, injuriait les autres dieux. S'ils ne le libéraient pas à l'instant même, il leur ferait subir d'horribles châtiments. Mais eux ne faisaient qu'en rire et se gardaient bien de le délivrer.

Cependant, la néréide Thétis réfléchissait. Si Zeus, pensa-t-elle, cessait d'être roi, les autres dieux allaient inévitablement se disputer le pouvoir.

C'en serait fini de la tranquillité de l'Olympe. Aussi, sans rien dire à personne, elle alla chercher au fond du Tartare le Cent-Mains Briarée.

Le brave géant, plus bête que méchant, et qui ne s'était jadis révolté que pour faire comme tout le monde, arriva donc sur l'Olympe. Avant que les autres dieux, fort occupés à se disputer, se soient aperçus de sa présence, il défit en un clin d'œil les cent nœuds qui retenaient Zeus : un nœud pour chaque main !

En somme, les troupes fidèles au gouvernement avaient fait échouer les rebelles !

◆ Zeus châtie les révoltés

Dans sa vengeance, Zeus garda une certaine modération. Poséidon et Apollon, chassés de l'Olympe pour un temps, furent condamnés à servir un roi d'Asie Mineure qui bâtissait alors une ville appelée Troie. Quant à Héra, sa punition fut plus sévère. Zeus l'attacha, toute nue, à un nuage, liée par les mains avec une corde d'or, et lui accrocha une enclume à chaque pied. Il ne mit fin à cette affreuse situation que lorsque tous les autres dieux eurent juré de respecter désormais sa souveraineté.

Dès lors, l'Olympe connut ce que l'on pourrait appeler une relative tranquillité.

Ajoutons que Zeus eut aussi envie d'épouser Thétis, à la place d'Héra, pour la remercier de l'avoir libéré. Mais il apprit par l'oracle que le fils de Thétis

serait plus puissant que son père. Il se rappela l'histoire de Cronos, et avant lui celle d'Ouranos ; il trouva finalement plus prudent de marier Thétis à un roi de la terre.

Et il eut raison ! Ayant épousé Pélée, la néréide eut un fils qu'on appela Achille et qui fut le plus grand guerrier de la Grèce.

Cadmos,
l'homme qui inventa l'écriture

L'enlèvement d'Europe

Ayant maintenant le pouvoir bien en main, Zeus recommença à mener joyeuse vie... et à faire la cour aux filles des rois de la terre. Or, l'une de ces aventures devait avoir des conséquences prodigieuses sur la vie des hommes, de façon d'ailleurs indirecte.

Il y avait alors en Phénicie (le Liban actuel) un roi qui avait une fille fort jolie, nommée Europe. Naturellement, Zeus en tomba amoureux.

Fidèle à ses habitudes, il se déguisa en un magnifique taureau blanc et vint brouter près de la jeune fille. Il était si beau que la princesse le caressa doucement. Puis, lorsque le taureau s'agenouilla humblement devant elle, Europe monta sur son dos pour faire une petite promenade. Mais le taureau prit soudain le galop et s'envola bientôt dans les airs.

Zeus ne s'arrêta qu'en Crète, où il reprit son apparence ordinaire. Et c'est dans cette île que vécut désormais la jeune Phénicienne. De là vient le nom actuel de notre continent, l'Europe, car la Crète fut la première terre civilisée en dehors de l'Asie.

Le père d'Europe, quant à lui, très inquiet, envoya

ses autres enfants à la recherche de sa fille. Ils avaient reçu l'ordre de ne pas revenir sans l'avoir trouvée. Le roi ne revit jamais aucun de ses enfants.

L'un d'eux, Cadmos, erra longtemps sur la Méditerranée. Il parvint finalement à Delphes, où

Delphes, les ruines du petit temple rond.

l'oracle lui apprit qu'il ne retrouverait jamais sa sœur. En revanche, il lui dit aussi qu'il fonderait une ville là où le mènerait une vache blanche. Peu après, comme le jeune homme et ses compagnons passaient devant un troupeau, une génisse blanche effrayée s'enfuit devant eux. Tous pensèrent aussitôt à ce qu'avait dit l'oracle et se lancèrent à sa poursuite.

◆ La plus grande invention de l'homme

Lorsque la malheureuse génisse, épuisée, tomba à terre, Cadmos comprit que c'était l'emplacement de « sa » ville. La cité qu'il fonda s'appela Thèbes, mais la citadelle de cette ville porte encore aujourd'hui le nom de « Cadmée ».

Cependant, pour remercier les dieux, il fallait sacrifier la génisse. Les compagnons de Cadmos allèrent donc puiser de l'eau dans un petit bois. Ils ne pouvaient pas savoir que le bois et sa source appartenaient à Arès, le dieu de la guerre, et qu'un dragon les gardait. Le monstre dévora les compagnons de Cadmos avant que le héros parvienne à le tuer.

Puis, sur l'ordre d'Athéna, Cadmos traça un sillon pour fixer les limites de la future ville et il y sema les dents du dragon. Surprise ! À peine avait-il terminé que des hommes en armes surgirent de terre !

Toujours sur les conseils d'Athéna, Cadmos ramassa aussitôt une pierre et la lança sur un guerrier. La pierre rebondit sur la cuirasse, ricocha sur un autre guerrier qui, se croyant attaqué, sauta sur son camarade. En un instant, la mêlée était générale : tous les guerriers s'entre-massacrèrent, sauf cinq, qui devinrent les nouveaux compagnons de Cadmos.

Toute cette histoire ne mériterait peut-être pas un aussi long développement si Cadmos, extrêmement

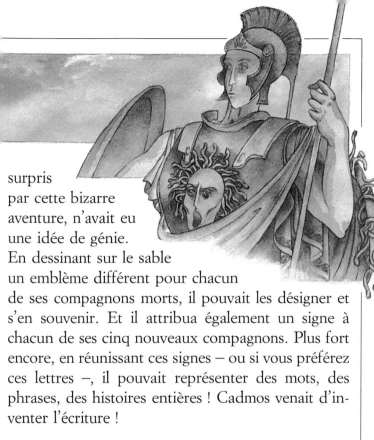

surpris
par cette bizarre
aventure, n'avait eu
une idée de génie.
En dessinant sur le sable
un emblème différent pour chacun
de ses compagnons morts, il pouvait les désigner et
s'en souvenir. Et il attribua également un signe à
chacun de ses cinq nouveaux compagnons. Plus fort
encore, en réunissant ces signes – ou si vous préférez
ces lettres –, il pouvait représenter des mots, des
phrases, des histoires entières ! Cadmos venait d'in-
venter l'écriture !

◆ Les héros

Cadmos, fondateur de Thèbes, nous introduit aussi dans l'univers des grands héros de la Grèce. Qui étaient-ils, ces personnages hors du commun ?

Certains étaient des demi-dieux, c'est-à-dire qu'ils avaient un dieu pour père ou une déesse pour mère. D'autres étaient des hommes à part entière.

Les aventures de ces héros sont trop longues à raconter en détail ; il faudrait un livre pour chacun d'entre eux. Héraclès, par exemple, fut forcé d'accomplir douze exploits surhumains pour expier un crime ; Thésée délivra Athènes du tribut annuel de douze jeunes gens, exigé par le roi de Crète, et tua le monstre à tête de taureau qui dévorait ces jeunes Athéniens.

Jason, après un immense voyage avec cinquante compagnons, s'empara de la fameuse toison d'or et la rapporta en Grèce. Persée tua la terrible Méduse.

Il y avait aussi Bellérophon, le vainqueur de la Chimère ; Orphée, le musicien qui alla chercher sa femme aux Enfers... Et tant d'autres qui consacrèrent leur vie à exterminer les monstres et les brigands.

Les hommes et les dieux

Les dieux, vous avez pu vous en rendre compte, intervenaient souvent dans la vie des hommes. Et les hommes ? Comment s'entretenaient-ils avec les dieux ? Quelles relations nouaient-ils avec eux ?

L'un des moyens les plus répandus pour connaître leurs volontés, pour prévoir l'avenir, était d'interroger un oracle.

◆ Les oracles

Il y avait en Grèce plusieurs sortes d'oracles, généralement fort obscurs, si obscurs même que des prêtres spécialisés avaient pour tâche de les interpréter. Sans eux, comment aurait-on pu, par exemple, comprendre le sens du bruissement du vent dans les feuilles des chênes sacrés de la forêt de Dodone, un très vieil oracle de la Grèce ?

L'oracle le plus célèbre demeurait celui de Delphes. Pour le consulter, on posait une question à une femme appelée la Pythie. Elle était assise au-dessus d'une crevasse d'où s'échappaient des fumées. Au bout d'un certain temps, la Pythie, à demi asphyxiée et prise de vertige, entrait en transe. Elle se mettait à pousser des cris inarticulés : c'étaient ces cris que les prêtres de Delphes interprétaient et rédigeaient en guise de réponse.

De nombreuses prédictions de la Pythie nous sont parvenues. Elles sont souvent très habiles, avec des doubles sens et des jeux de mots. Si bien que, après coup, la Pythie avait toujours raison.

◆ Les prodiges

Mais les hommes ne faisaient pas seulement appel aux oracles. Ils interprétaient également les prodiges, tels que les éclipses ou les passages de comètes. Il s'agissait de signes que les dieux envoyaient

aux humains pour
annoncer de grands changements.
De même, les tremblements de terre,
provoqués par Poséidon, ou la foudre,
qui manifestait la colère de Zeus, méritaient d'être soigneusement analysés. À cela s'ajoutaient les rêves, que l'on pouvait aussi interpréter.

La plupart des Grecs se satisfaisaient de ces signes, somme toute assez rares et assez vagues, et n'interrogeaient l'oracle que dans les cas vraiment graves. Les oracles coûtaient d'ailleurs fort cher.

Cependant, il existait des sociétés religieuses, des sortes de « clubs » assez fermés, où l'on n'entrait qu'après une initiation lente et progressive. On sait assez peu de choses sur ces sociétés, car leurs secrets étaient bien gardés. Les cultes qu'on y rendait aux divinités étaient appelés des « mystères ».

◆ Les mystères

Les plus célèbres de ces mystères se tenaient à Éleusis, une ville proche d'Athènes. Ils représentaient sans doute un culte de la fertilité et de la vie, mais nous les connaissons mal.

D'autres mystères, en revanche, nous ont laissé des souvenirs beaucoup plus précis. Tel est le cas

Gaule

Italie

Mer Méditerranée

des jeux
Olympiques,
culte de la force virile,
de la paix et de la guerre.

Les Grecs aimaient aussi beaucoup les sacrifices, qui non seulement calmaient les dieux mais offraient l'occasion de bons repas. En effet – nous l'avons vu avec Prométhée –, on brûlait les os et la graisse, mais on mangeait la viande.

◆ Sorciers et magiciens

Enfin, certains Grecs très hardis prétendaient qu'ils pouvaient faire travailler les divinités, et pas toujours de façon bénéfique. Ainsi, les sorciers jetaient des sorts. Mais dans leur ensemble, les Grecs n'appréciaient guère ces pratiques.

Alors, comment satisfaire les dieux ?

La réponse nous paraît aujourd'hui encore tout à fait excellente. Les Grecs, en effet, avec sagesse, ont essayé de régler leur vie sur deux grands principes : le Bon et le Beau.

◆ Au cœur de la Méditerranée, la Grèce

La Grèce occupe une position privilégiée en Méditerranée. Si elle fait complètement partie de l'Europe, elle est également très proche de l'Asie. Les Grecs se sont d'ailleurs installés aussi bien sur les côtes de l'Asie Mineure qu'en Sicile, en Italie du Sud et même dans le midi de la France. Ce sont des Grecs de Phocée qui ont fondé au 6e siècle av. J.-C. la ville de Marseille.

En s'éloignant de leur pays, qu'ils soient des colons en quête de terres nouvelles ou des commerçants à la recherche de marchés, ils ont répandu leurs idées, leurs croyances, leur « civilisation ». Par la suite, la Grèce sera conquise par Rome. Et les Romains se mettront à son école, en diffusant à leur tour, dans leur vaste empire, ce qu'ils ont appris des Grecs.

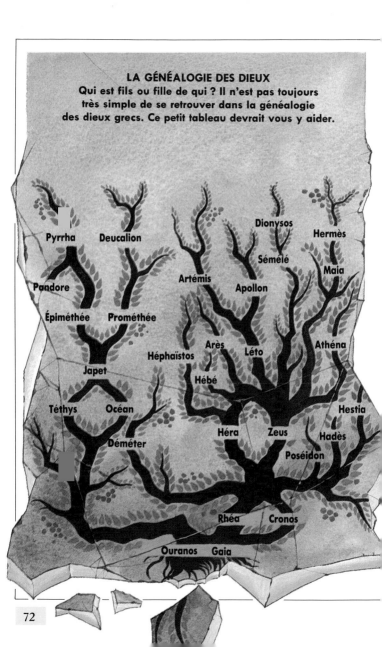

◆ Dieux grecs et dieux romains

Ce livre est entièrement consacré aux dieux de la mythologie grecque. Mais vous savez peut-être que les Romains ont très souvent adopté les récits et les légendes inventés par les Grecs. Si bien que nous retrouvons chez eux, sous un nom différent, les divinités que vous venez de découvrir. Certains de ces noms sont même devenus plus connus que ceux des dieux grecs. Voici, pour quinze d'entre eux, une liste de « concordance ».

Chez les Grecs	*Chez les Romains*
Cronos	Saturne
Hestia	Vesta
Hadès	Pluton
Poséidon	Neptune
Zeus	Jupiter
Héra	Junon
Déméter	Cérès
Athéna	Minerve
Héphaïstos	Vulcain
Arès	Mars
Apollon	Apollon
Artémis	Diane
Aphrodite	Vénus
Hermès	Mercure
Dionysos	Bacchus ou Liber

Index

La naissance du monde, des dieux et des hommes...

L'auteur

Écrivain, éditeur, Remi Simon a déjà écrit ou adapté de nombreux ouvrages pour les jeunes. Depuis des années, il voyage dans l'Antiquité grecque, étrusque et romaine.

CRÉDITS PHOTOGRAPHIQUES

G. Dagli Orti : 9, 25 ◆ Jerrican (Fuste Raga) : 60.

Achevé d'imprimer en avril 1992
sur les presses des Imprimeries MAURY
Z.I. Saint-Georges-de-Luzençon — 12100 Millau
Numéro d'imprimeur : D92/17141 M
Numéro d'éditeur : 10011048
Dépôt légal : avril 1992
I.S.B.N. : 2.09.204431-1

Imprimé en France

Dans la même collection

Pyramides et pharaons
Alexandre le Grand
Châteaux forts et chevaliers
Christophe Colomb
À Versailles avec Louis XIV
Les dieux de la Grèce
Dans un village gaulois

Le monde des abeilles
L'évolution de la vie
Le langage des animaux